Manuel Saraiva Mendes

CW00541971

Leandro, Rei da Helíria

COL. OBRAS DE ALICE VIEIRA
ROSA, MINHA IRMÃ ROSA, Prémio de Literatura Infantil «Ano Internacional da Criança», Auswahliste Deutscher Jugendliteraturpreis, Alemanha, 1979, 34.ª edição, 2019 • LOTE 12, 2.º FRENTE, 18.ª edição, 2018 • CHOCOLATE À CHUVA, 32.ª edição, 2019 • A ESPADA DO REI AFONSO, 13.ª edição, 2010 • ESTE REI QUE EU ESCOLHI, Prémio Calouste Gulbenkian de Literatura Infantil 1983, 14.ª edição, 2011 • GRAÇAS E DESGRAÇAS DA CORTE DE EL-REI TADINHO, 21.ª edição, 2016 • ÁGUAS DE VERÃO, 11.ª edição, 2017 • FLOR DE MEL, Estrela de Prata do Prémio Peter Pan, Suécia, 2009, 10.ª edição, 2010 • VIAGEM À RODA DO MEU NOME, 11.ª edição, 2010 • PAULINA AO PIANO, 5.ª edição, 1999 • ÀS DEZ A PORTA FECHA, 8.ª edição, 2015 • A LUA NÃO ESTÁ À VENDA, 10.ª edição, 2010 • ÚRSULA, A MAIOR, 9.ª edição, 2011 • OS OLHOS DE ANA MARTA, Prix Octogone, França, 2000, 7.ª edição, 2010 • LEANDRO, REI DA HELÍRIA, 30.ª edição, 2019 • PROMONTÓRIO DA LUA, 6.ª edição, 2009 • CADERNO DE AGOSTO, 4.ª edição, 2006 • SE PERGUNTAREM POR MIM DIGAM QUE VOEI, 8.ª edição, 2017 • UM FIO DE FUMO NOS CONFINS DO MAR, 3.ª edição, 2011 • TRISAVÓ DE PISTOLA À CINTA, 7.ª edição, 2017 • VINTE CINCO A SETE VOZES, 4.ª edição, 2012 • O CASAMENTO DA MINHA MÃE, 2005 • A VIDA NAS PALAVRAS DE INÊS TAVARES, 2008 • MEIA HORA PARA MUDAR A MINHA VIDA, 3.ª edição, 2017.

COL. HISTÓRIAS TRADICIONAIS PORTUGUESAS
CORRE, CORRE CABACINHA, 2.ª edição, 2000 • UM LADRÃO DEBAIXO DA CAMA, 1991 • FITA, PENTE E ESPELHO, 1991 • A ADIVINHA DO REI, 1991 • RATO DO CAMPO E RATO DA CIDADE, 1992 • PERIQUINHO E PERIQUINHA, 1992 • MARIA DAS SILVAS, 1992 • DESANDA CACETE, 1992 • AS TRÊS FIANDEIRAS, 1993 • A BELA MOURA, 1993 • O COELHO BRANQUINHO E A FORMIGA RABIGA, 1994 • O PÁSSARO VERDE, 1994 • OS ANÉIS DO DIABO, 1998 • O GIGANTE E AS TRÊS IRMÃS, 1998 • MANHAS E PATRANHAS, OVOS E CASTANHAS, 2003 • AS MOEDAS DE OURO DE PINTO PINTÃO, 2003.

COL. HISTÓRIAS TRADICIONAIS PORTUGUESAS. NOVA SÉRIE
A MACHADINHA E A MENINA TONTA E O CORDÃO DOURADO, 2006 • RATO DO CAMPO E RATO DA CIDADE E JOÃO GRÃO DE MILHO, 2006; 3.ª edição, 2017 • O FILHO DO DEMÓNIO E A ADIVINHA DO REI, 2007 • SE HOUVESSE LIMÃO E O COELHO BRANQUINHO E A FORMIGA RABIGA, 2008 • O MENINO DA LUA E CORRE, CORRE, CABACINHA, 2009; 10.ª edição, 2019 • O SAPATEIRO E O PÁSSARO VERDE, 2009 • A VERDADEIRA HISTÓRIA DO DR. GRILO E PERIQUINHO E PERIQUINHA, 2010 • A BELA MOURA E A VELHA CAIXA, 2014 • UM LADRÃO DEBAIXO DA CAMA E SOPA DA PEDRA, 2018.

OUTRAS OBRAS
ESTA LISBOA, 1993 • EU BEM VI NASCER O SOL, 8.ª edição, 2009 • PRAIAS DE PORTUGAL, 1997 • CONTOS E LENDAS DE MACAU, 2.ª edição, 2009 • 2 HISTÓRIAS DE NATAL, 2.ª edição, 2006 • ROSA, MINHA IRMÃ ROSA, edição comemorativa do 25.º aniversário da primeira edição, 2004 • DOIS CORPOS TOMBANDO NA ÁGUA, Prémio Literário Maria Amália Vaz de Carvalho (Poesia), 2.ª edição, 2008 • TEJO (com fotografias de Neni Glock), 2009 • O QUE DÓI ÀS AVES, 2.ª edição, 2014 • A ARCA DO TESOURO, 2010; 7.ª edição, 2018 • OS PROFETAS, 2011 • OS ARMÁRIOS DA NOITE, 2014; 2.ª edição, 2015 • ROSA, MINHA IRMÃ ROSA, edição comemorativa dos 40 anos de vida literária, 2019.

ALICE VIEIRA

Leandro, Rei da Helíria

30.ª Edição

CAMINHO

Título: *Leandro, Rei da Helíria*
Autora: Alice Vieira
© Editorial Caminho, 1991
Capa: Patrícia Furtado

1.ª edição, 1991
30.ª edição, maio de 2019 (reimpressão)
Pré-impressão: Leya, SA
Impressão e acabamento: Multitipo
Tiragem: 7500 exemplares
ISBN: 978-972-21-2922-0
Depósito legal n.º 416 744/16

Editorial Caminho, SA
Uma editora do Grupo Leya
Rua Cidade de Córdova, 2
2610-038 Alfragide – Portugal
www.caminho.leya.com
www.leya.com

Reservados todos os direitos de acordo
com a legislação em vigor.

Esta adaptação de uma história da tradição popular foi escrita propositadamente para o Teatro Experimental de Cascais, que a levou à cena no princípio de 1991. Por isso aí fica o nome de todos os que nesse trabalho participaram — e aos quais esta peça é dedicada.

Personagens e intérpretes

Leandro — João Vasco
Bobo — Paulo B.
Hortênsia — Paula Fonseca
Amarílis — Tereza Corte-Real
Violeta — Manuela Santos
Felizardo — Luís Rizo
Reginaldo — João Baião
Simplício — António Cerdeira
Pastor — Sérgio Silva

Encenação — Carlos Avillez
Assistente — Tereza Múrias
Sonoplastia — Augusto Loureiro
Luminotecnia — Manuel Amorim
Cenografia — José Manuel Castanheira
Música — Carlos Zíngaro
Coordenação de guarda-roupa e adereços — Fernando Alvarez

E ainda o Francisco Só, que se ocupou de muitas burocracias indispensáveis...

1.º ATO

Cena I
REI LEANDRO, BOBO

(*No jardim do palácio real de Helíria. Rei Leandro passeia com o bobo*)

REI: Estranho sonho tive esta noite... Muito estranho...

BOBO: Para isso mesmo se fizeram as noites, meu senhor! Para pensarmos coisas acertadas, temos os dias — e olha que bem compridos são!

REI: Não sabes o que dizes, bobo! São as noites, as noites é que nunca mais têm fim!

BOBO: Ai, senhor, as coisas que tu não sabes...

REI: Estás a chamar-me ignorante?

BOBO: Estou! Claro que estou! Como é possível que tu não saibas como são grandes os dias dos pobres, e como são rápidas as suas noites... Às vezes estou a dormir, parece que mal acabei de fechar os olhos — e já tocam os sinos para me levantar. A partir daí é uma dança maluca, escada acima escada abaixo: és tu que me chamas para te alegrar o pequeno-almoço; é Hortênsia que me chama porque acordou com vontade de chorar; é Amarílis que me chama porque não sabe se há de rir se há de chorar — e eu a correr de um lado para o outro, todo o santo dia, sempre a suspirar para que chegue a noite, sempre a suspirar para que se esqueçam de mim, por um minutinho que seja!, mas o dia é enorme, enorme!, o dia nunca mais acaba, e é então que eu penso que, se os reis soubessem destas coisas, deviam fazer um decreto qualquer que desse aos pobres como eu duas ou três horas a mais para...

REI (*interrompendo*): Cala-te!

BOBO: Pronto, estou calado.

REI: Não me interessam agora os teus pensamentos, o que tu achas ou deixas de achar. Eu estava a falar do meu sonho.

BOBO: Muito estranho tinha sido, era o que tu dizias...

REI: Nunca me interrompas quando eu estou a falar dos meus sonhos!

BOBO: Nunca, senhor!

REI: Nada há no mundo mais importante do que um sonho.

BOBO: Nada, senhor?

REI: Nada.

BOBO: Nem sequer um bom prato de favas com chouriço, quando a fome aperta? Nem sequer um lumezinho na lareira, quando o frio nos enregela os ossos?

REI: Não digas asneiras, que hoje não me apetece rir.

BOBO: Que foi que logo de manhã te pôs assim tão zangado com a vida? Já sei! O conselheiro andou outra vez a encher-te os ouvidos com as dívidas do reino!

REI: Deixa o conselheiro em paz... E o reino não tem dívidas, ouviste?

BOBO: Não é o que ele diz por aí, mas enfim... Então, se ainda por cima não deves nada a ninguém, por que estás assim tão maldisposto? Terá sido coisa que comeste e te fez mal? Aqui há dias comi um besugo estragado, deu-me volta às tripas, e olha...

REI (*interrompendo-o*): Cala-te que já não te posso ouvir! (*Suspira*) Ah, aquele sonho! Coisa estranha aquele sonho...

BOBO: Ora, meu senhor! E o que é um sonho? Sonhaste, está sonhado. Não adianta ficar a remoer.

REI: Abre bem esses ouvidos para aquilo que te vou dizer!

BOBO (*com as mãos nas orelhas*): Mais abertos não consigo!

REI: Os sonhos são recados dos deuses.

BOBO: E para que precisam os deuses de mandar recados? Estão lá tão longe...

REI: Por isso mesmo. Porque estão longe. Tão longe, que às vezes nos esquecemos que eles existem. É então que nos mandam recados. Mas os recados são difíceis de entender. Acordamos, queremos recordar tudo, e muitas vezes não conseguimos.

BOBO (*aparte*): É o que faz ser deus... Eu cá, quando quero mandar recado, é uma limpeza: «Ó Brites, guarda-me aí o melhor naco de toucinho para a ceia!» (*Ri*) Não preciso de mandar os meus recados pelos sonhos de ninguém!

REI: Que estás tu para aí a resmonear?

BOBO: Nada, senhor! Refletia apenas nas tuas palavras.

REI: E bom é que nelas reflitas. Apesar de bobo, quem sabe se um dia não irão os deuses lembrar-se de mandar algum recado pelos teus sonhos... (*Para, de repente. Fica por momentos a olhar para o bobo, e depois pergunta, com ar muito intrigado*) Ouve lá, tu também sonhas?

(*Aqui a cena fica suspensa, e a luz centra-se apenas no bobo, que fala para os espectadores na plateia*)

BOBO: Será que eu sonho? Será que eu choro? Será que é sangue igual ao deles o que me escorre das costas quando apanho chibatadas por alguma inconveniência que disse? Que sabem eles de mim? Nem sequer o meu nome eles conhecem. Pensam que já nasci assim, coberto de farrapos, e que «bobo» foi o nome que me deu minha mãe. (*Pausa*) Se é que eles sabem que eu tenho mãe, e pai, e que nasci igualzinho ao rei, ao conselheiro, a todos os nobres deste e doutros reinos. E quando um dia morrermos e formos para debaixo da terra, tão morto estarei eu como qualquer deles.

(*A ação recomeça onde estava*)

BOBO (*rindo*): Não, meu senhor! Só os grandes fidalgos é que sonham! Nós somos uns pobres servos... Sonhar seria um luxo, um desperdício! De resto, que podiam os deuses querer deste pobre louco? Que recados teriam para lhe mandar?

REI: És capaz de ter razão... (*Suspira*) Nem sabes a sorte que tens!

BOBO (*irónico*): Sei sim, meu senhor! Sou uma pessoa cheia de sorte! Todas as manhãs, quando o frio me desperta e sinto o corpo quebrado de dormir na palha estendida no chão, então é que eu percebo como sou feliz...

REI: Zombas de mim?

BOBO: Zombar, eu, senhor? Zombar de quê, se as tuas palavras são o eco das minhas?

REI: Pareceu-me...

BOBO: Deve ter sido de teres acordado maldisposto por causa desse tal sonho.

REI: Ah, meu bobo fiel, como eu às vezes gostava de estar no teu lugar, sem preocupações, sem responsabilidades...

BOBO: É para já, senhor! Toma os meus farrapos e os meus guizos, e dá-me o teu manto, a tua coroa, o teu cetro...

REI (*agitado*): Cala-te!... Era isso mesmo que se passava no sonho... A coroa... o manto... o cetro... tudo no chão... eu a correr, mas sem poder sair do mesmo sítio... e a coroa sempre mais longe, mais longe... e o manto... e o cetro... e as gargalhadas...

BOBO: Gargalhadas? Não me digas que eu também entrava no teu sonho?

REI (*como se não o tivesse ouvido*)... as gargalhadas delas... e como elas se riam... riam-se de mim... e a coroa tão longe... e o manto tão longe... e o frio... tanto frio que eu tinha!...

15

BOBO: Perdoa-me, senhor, mas isso são tolices, dizes coisas sem nexo... Foi alguma coisa que comeste ontem, tenho a certeza.

REI: Não são coisas sem nexo: são recados. Recados dos deuses. (*Aproxima-se do bobo e diz-lhe ao ouvido*) Tenho medo!

BOBO: Shiuu! NUNCA DIGAS ISSO! Já viste o que podia acontecer se os deuses te ouvissem? Se descobrissem que os reis também têm medo? Se descobrissem que os reis podem mesmo ficar a-pa-vo-ra-dos?

REI (*afasta o bobo e retoma a sua dignidade real*): Tens razão! Quem foi que aqui falou em medo? Eu sou o rei Leandro, senhor do reino de Helíria! Tenho um exército de homens armados para me defenderem. Tenho um conselheiro que sabe sempre o que há de ser feito. Tenho espiões bem pagos, distribuídos por todos os reinos vizinhos, que me informam do que pensam e fazem os meus inimigos...

BOBO: Tens inimigos, senhor?

REI: Claro que tenho inimigos. Para que serve um rei que não tem inimigos?

BOBO: Realmente não devia ter graça nenhuma. Eu cá, de cada vez que me armam uma cilada e acabo espancado no pelourinho, também digo sempre: «Ainda bem que tenho inimigos, ainda bem que tenho inimigos»... Se ninguém me batesse, se ninguém me cobrisse o corpo de pontapés, acho mesmo que era capaz de morrer de pasmo...

REI: Zombas de mim?

BOBO: Que ideia, senhor! Como posso zombar de ti, se penso como tu pensas?

REI: Parecia...

BOBO: É o que eu digo: efeitos desse maldito sonho. Por que não o esqueces de vez?

REI: Tens razão. Farei por esquecê-lo. Não tenho motivos nenhuns para estar inquieto. Ainda por cima... (*com um sorriso enlevado*) ainda por cima com estas flores que são a luz dos meus olhos! (*Aponta para Hortênsia e Amarílis, que entram nesse momento, com as suas aias*)

Cena II
HORTÊNSIA, AMARÍLIS, REI, BOBO, AIAS

HORTÊNSIA: Faláveis de nós, meu pai?

REI: Pois de quem mais poderia ser? Não sois vós o sol que alumia a minha velhice?

AMARÍLIS: Velhice? Quem vos ouvir pensará que o vosso fim está perto! Meu pai: vós sois ainda um jovem, estais agora na plena posse de vossas faculdades!...

HORTÊNSIA: Tomara muitos príncipes moços, dos reinos vizinhos, terem a vossa agilidade, o vosso tato, a vossa inteligência, a vossa lucidez...

BOBO: A vossa quê?!

HORTÊNSIA (*impaciente*): Lucidez.

BOBO: Ah! Pareceu-me ouvir falar em Lucifer, e eu com esse não quero conversas! (*Canta:*)

> *Foge de mim, Lucifer*
> *que te esmago se eu quiser*

19

com pilão ou com colher
para depois te comer
Va de retro Satanás
que te meto no cabaz
onde esmagado serás
pelas pinças da tenaz
vai à vida Belzebu
mete os cornos no baú
que te embrulho em pano-cru
e te como com peru
glu glu glu glu glu glu glu

AMARÍLIS: Cala-te, impertinente! Só dizes inconveniências! És a vergonha desta corte.

BOBO: Ah! Agora sou impertinente! Agora sou a vergonha desta corte!

REI: Não estás a ser um modelo de virtudes, hás de concordar...

BOBO (*para Amarílis*): Pois é, mas há bocado, quando me chamaste para eu te cantar umas trovas sobre a tua irmãzinha (*aponta para Hortênsia*), já eu te servia, já eu não dizia inconveniências...

HORTÊNSIA (*intrigada*): Trovas a meu respeito?

AMARÍLIS (*aflita*): Não foi nada do que estás a pensar...

HORTÊNSIA: O que vem a ser isso?

AMARÍLIS: Nada, nada...

BOBO: Quem nada não se afoga...

HORTÊNSIA: Quero saber, já!, o que foi que tu cantaste a meu respeito, bobo imbecil!

BOBO: Eu? Eu não cantei nada! Posso ser imbecil, mas não sou maluco!... Ela (*aponta para Amarílis*), ela é que me pediu. Que estava aborrecida, dizia ela. Que eu inventasse cantoria afinada a teu respeito, coisa caprichada, que a fizesse rir à gargalhada...

HORTÊNSIA: Não faltava mais nada senão ser motivo de chacota para a minha irmã! E afinal que foi que tu cantaste, velho doido?

BOBO: Nada, senhora, que eu gosto muito da minha pele e não me estava a apetecer ser logo chicoteado pela manhã, se por acaso tu me ouvisses.

REI: Não és tão doido como pareces...

BOBO: Mas ela é que não se calava... e lá ia mandando o mote...

AMARÍLIS: Não lhe dês ouvidos!

BOBO (*imitando-a*): «Tu que tão bem sabes cantar», dizia ela, «bem podias versejar agora para me pores bem-disposta», dizia ela, «bastaria olhares para Hortênsia, para o seu ar de galinha emproada», dizia ela...

HORTÊNSIA (*esbraceja, agarrada por duas aias*): Maldita!

BOBO: ...«para a sua voz de gata em noite de lua cheia», dizia ela, «para o seu andar que mais parece a jumenta do moleiro quando sobe a encosta carregada de sacos de farinha», dizia ela...

HORTÊNSIA: «A jumenta do moleiro»... Eu mato-a! Eu mato-a!

AMARÍLIS (*agarrada por duas aias*): Eu dou cabo de ti, miserável linguarudo!

21

BOBO: ... «para os sorrisinhos de sonsa que ela manda para cima de toda a gente», dizia ela...

(*As duas irmãs conseguem soltar-se dos braços das aias e andam à bulha uma com a outra, insultando-se mutuamente, enquanto o rei tenta apartá-las*)

REI: Então, minhas flores, que triste espetáculo estais a dar! Imaginai que vossos noivos entravam agora aqui e vos viam. Que iriam eles dizer?

AMARÍLIS: Iriam decerto ordenar que este maldito bobo fosse metido a ferros na mais escura masmorra deste castelo!

HORTÊNSIA: Iriam decerto exigir explicações de Amarílis!

AMARÍLIS: Ora, minha irmã! Tem juízo! Estás a dar ouvidos a balelas de um louco que só mesmo a grande bondade de nosso pai mantém nesta casa... Quando me casar, bobo assim não entra no meu palácio! Antes morrer de tédio a vida inteira!

REI: Ora vá, fazei as pazes, que eu não gosto de ver as minhas flores assim tão alteradas.

Cena III
OS MESMOS MAIS VIOLETA

VIOLETA: Mas que barulheira infernal! Que vem a ser isto?

BOBO (*voltando-se para a plateia, canta*):

> *Que lhe hei de chamar? Berrata?*
> *bulha? inveja? zaragata?*
> *tareia? surra? bravata*
> *entre duas castelãs?*
> *Antes que venha a chibata,*
> *vou dizer que é... serenata,*
> *e que isto é amor de irmãs!...*

VIOLETA: Estava eu a tocar o meu alaúde quando, de repente, o barulho foi tanto, que parecia que tinha rebentado uma tempestade!

HORTÊNSIA: Vai, vai tocar o teu alaúde, que a conversa não é contigo...

AMARÍLIS: Foi apenas uma breve troca de palavras em tom mais elevado. Não te importes, são coisas de gente crescida...

VIOLETA: Que mania a vossa de ainda me considerarem uma criança! (*Virando-se para o pai*) Pois não é verdade, meu pai, que o Príncipe Reginaldo chegou ao nosso reino há uma semana para pedir a minha mão?

REI (*aborrecido*): Falemos de outros assuntos...

VIOLETA: É ou não é verdade?

REI: É... é verdade... mas não quero pensar nisso... estou mais preocupado com outras coisas...

BOBO (*aparte*): Mil ratazanas me mordam se não é ainda a porcaria do sonho a atazanar-lhe o juízo!

VIOLETA: Ouvistes, minhas irmãs? O Príncipe Reginaldo está neste reino, e quer casar comigo!

HORTÊNSIA e AMARÍLIS (*em coro*): O Príncipe Reginaldo?! Esse pelintra?

REI: Meninas! Então! Tende tento na língua, minhas flores!

BOBO (*aparte*): E depois eu é que digo inconveniências...

REI: Dizias alguma coisa, bobo?

BOBO: Dizia que o Príncipe Reginaldo é um belo moço, não desfazendo...

HORTÊNSIA e AMARÍLIS: Belo moço? Deixa-me rir! (*Cantam*)

HORTÊNSIA: *Tem olhos tortos*

AMARÍLIS: *e ratos mortos*
nas algibeiras!

HORTÊNSIA: *Anda de lado*
todo entrevado

AMARÍLIS: *Só diz asneiras!*

HORTÊNSIA: *Se faz calor*
traz cobertor
meias de lã

AMARÍLIS: *E se faz frio*
nada no rio
pela manhã

HORTÊNSIA: *Ri se está triste!*

AMARÍLIS: *Chora de um chiste!*

HORTÊNSIA: *É fraca rês...*

AIAS (*em coro*): *Dizem que é louco!*

HORTÊNSIA e AMARÍLIS (*ao ouvido de Violeta*): *Vai fazer pouco de nós as três!*

VIOLETA: Não vos apoquenteis, irmãs! Se for tudo isso que dizeis, eu saberei como viver com ele. É comigo que ele quer casar, e não com qualquer de vós. O problema é meu.

HORTÊNSIA E irás deixar sozinho o nosso pai?

AMARÍLIS: Olha que ele já não é criança! Vê como está alquebrado, como as suas forças lhe vão faltando, como se arrasta com dificuldade...

BOBO: Mau... Há bocado era um jovem na flor da idade, agora já se arrasta com dificuldade... Muito depressa envelhecem os reis, palavra de honra...

REI: Que murmurais vós a meu respeito?

VIOLETA: Senhor, minhas irmãs parecem muito preocupadas com o meu casamento...

REI: Não quero ouvir falar de casamentos. E era de mim que faláveis, que eu bem vos ouvi!

HORTÊNSIA Senhor, se era de vós que falávamos, decerto seria para gabarmos o vosso andar escorreito, as vossas palavras sempre justas e acertadas...

BOBO (*aparte*): Fora as que eu lhe oiço quando está sozinho...

AMARÍLIS: Senhor, se era de vós que falávamos, decerto seria para louvar a vossa bondade e o vosso desprendimento pelos bens materiais. Nunca me lembro de vos ver agarrado aos cofres de ouro do reino, e sempre que a minha vaidade de mulher desejou mais um vestido, um toucado, ou uma fita para os cabelos, sempre os meus desejos foram realizados. Pai mais bondoso que vós não existe decerto neste mundo!

REI (*sorrindo*): Razão tive em escolher para vós nomes de flores: sois as flores da minha vida, e melhores filhas não devem ter existido à face da terra!

BOBO: Então e a mim, ninguém me elogia?

(*A cena para, e o Bobo dirige-se à plateia*)

Salamaleques de um lado, salamaleques do outro, confesso que já estou a começar a ficar um pouco farto... «Sois o melhor pai do mundo»... «Sois as flores do meu jardim»... Então e eu? Não há por aí ninguém que saia em minha defesa? Claro que eu não exijo que digam que sou o sol das vossas vidas, ou a flor dos vossos jardins... Se calhar vocês nem têm jardim... Mas ao menos podiam dizer que eu era um bobo jeitosinho, bem-apessoado, capaz de levar uma moça ao altar, o melhor bobo que vocês alguma vez conheceram. A propósito, como vamos de bobos neste reino? Se aquilo ali der para o torto, acham que me safo por cá? Que tais as condições de trabalho? Temos caixa, reforma, passe social, lugares cativos no Benfica e no Sporting, essas coisas? E chibata? Apanha-se muita chibatada cá por este reino? Bom, informem-se disso que, assim que acabar a peça, a gente conversa. Mas agora tenho de voltar para a minha história, senão vocês nunca mais sabem como aquilo acaba! Adeusinho!

(*A ação é retomada onde estava*)

REI (*para Violeta*): Estás tão calada...

VIOLETA: Perdoai, meu pai, se não vos divirto tanto como as minhas irmãs...

REI: Tudo te perdoo, minha flor entre as flores! Que bem eu fiz em escolher para ti o nome de Violeta: poderá parecer uma flor modesta, mas o seu perfume é tão intenso que nunca passará despercebida onde quer que se encontre.

HORTÊNSIA: Mas Hortênsia é flor de muito maior porte!

BOBO: Sabes que o povo diz que as Hortênsias são mulheres caprichosas e inconstantes?

HORTÊNSIA: E eu quero lá saber do povo...

AMARÍLIS: E a flor da amarílis é de rara beleza...

BOBO: Diz o povo que é mulher artificiosa e enganadora...

AMARÍLIS: O povo? Eu nem sei o que é o povo!

Cena IV
Os mesmos mais Arauto,
Conselheiro, Príncipe Felizardo
e Príncipe Simplício

(*Tocam as trombetas*)

ARAUTO: Sua Alteza o Príncipe Felizardo!

AMARÍLIS: O meu noivo! O meu noivo chegou!

ARAUTO: Sua Alteza o Príncipe Simplício!

HORTÊNSIA: É o meu noivo! O meu noivo que se faz anunciar!

(*Entram os príncipes acompanhados pelo conselheiro do rei, em vénias e salamaleques desajeitados. Simplício está sempre atrás de Felizardo em todas as cenas, como se fosse a sua sombra e o seu eco. Felizardo é o tipo «príncipe novo-rico», contente consigo, com o seu dinheiro, com tudo o que diz. Simplício é tímido, e com um vocabulário reduzido a uma única frase*)

PRÍNCIPE FELIZARDO: Ora cá estamos, neste fim do mundo! (*Olha em volta*) Apesar de tudo, não é feio, não senhor, não se está aqui mal. (*Vira-se para o Rei*) E agora, toca a marcar o casório, que eu não sou homem de esperas.

PRÍNCIPE SIMPLÍCIO: Tiraste-me as palavras da boca!

REI: Calma, senhores, haveis chegado neste momento! Ainda nem vos dei as boas-vindas e já me estais a falar de negócios!

PRÍNCIPE FELIZARDO: Boas-vindas eu dispenso, meu caro sogro.

AMARÍLIS (*para Hortênsia*): Ouviste? Já lhe chamou sogro!

HORTÊNSIA (*enfastiada*): Que querias que lhe chamasse? Mamã?

AMARÍLIS: Estúpida...

PRÍNCIPE FELIZARDO (*continuando*): ... passo bem sem vénias, mesuras e essa traulitada toda...

HORTÊNSIA (*baixinho*): Que modos, meu Deus...

PRÍNCIPE FELIZARDO (*continuando*): ... e parece-me que fiz tudo o que era preciso. Ora deixa cá ver, Felizardo, deixa cá ver... (*Começa a pensar, mas não consegue*) ... A memória está fraca, deve ter sido da viagem... Com licença (*Tira um longo rolo de papel da algibeira e começa a ler*) Ora então aí vai: «dragões mortos em ação: 32; dragões mortos enquanto dormiam: 365; bruxas atiradas para o caldeirão: 28; bruxas convertidas em fadas madrinhas: 2» (nisto não sou lá muito bom, tenho de confessar...); «príncipes desencantados, 3» (a maior parte deles não quis, disseram que estavam muito bem assim, que ao menos enquanto estavam encantados não tinham de andar por aí a beijar princesas adormecidas e traulitadas dessas, ah! ah!); «castelos limpos de vampiros e teias de aranha: 698». Isto é que ia sendo o nosso fim... Limpar aquela porcaria toda pôs-me derreadinho que nem posso comigo!

PRÍNCIPE SIMPLÍCIO: Tiraste-me as palavras da boca!

PRÍNCIPE FELIZARDO: Portanto, está tudo feito. E olhai lá, meu sogro, que não fostes peco no pedir, não senhor, ah! ah! Quando podemos marcar a data da boda?

REI: Quando vos aprouver, senhores. Muito me desgosta separar-me das minhas filhas...

BOBO (aparte): Se ele voltar outra vez com a história das flores do seu jardim, emigro!, juro que emigro!

REI (continuando): ... mas é o destino de todos os pais, serem trocados pelos maridos.

HORTÊNSIA (ajoelhando junto dele): Não digais semelhante coisa, meu senhor, nem a brincar! Nunca serei capaz de vos trocar por ninguém, tereis sempre lugar cativo no meu coração!

AMARÍLIS: E no meu estareis sempre em primeiro lugar, senhor, e serão sempre para vós os meus primeiros pensamentos quando o sol me acordar pela manhã.

REI: Sois filhas dedicadas, eu sei, e isso coloca-me um grave problema...

TODOS: Que problema, senhor?

PRÍNCIPE FELIZARDO (olhando em roda): Não me digais que ainda ficou algum maldito dragão por matar!

PRÍNCIPE SIMPLÍCIO: Tiraste-me as palavras da boca!

REI: Nada, nada... Por enquanto quero pensar melhor. Talvez consiga encontrar sozinho a solução.

CONSELHEIRO: Não esqueçais, senhor, que estou sempre ao vosso lado!

BOBO: Foi o sonho! Tenho a certeza! Desde que teve esse sonho... ou esse tal recado dos deuses, ele nunca mais foi o mesmo.

REI: Estamos todos fatigados, que o dia já nasceu há muito. Vamos descansar. Amanhã, para comemorar os vossos noivados, darei uma grande festa!

PRÍNCIPE FELIZARDO: Ah, meu querido sogro, festas é cá comigo! Bois assados, vinho a jorrar das pipas, trovas, bailaricos, foguetório no ar... tchhh pum! (*Imita o estalar dos foguetes*)

PRÍNCIPE SIMPLÍCIO: Tiraste-me as palavras da boca!

REI: Tudo estará a vosso contento, tenho a certeza.

HORTÊNSIA: Tudo o que fazeis, senhor, fica sempre bem feito, seja um decreto seja uma festa!

AMARÍLIS: Uma palavra vossa, senhor, e todos se rendem aos vossos desejos.

REI: Pode ser que durante a festa haja uma surpresa... Uma grande surpresa para todos...

(*Saem todos, menos Violeta*)

Cena V
VIOLETA E PRÍNCIPE REGINALDO

(*No jardim do palácio Violeta está sozinha, passeia, colhe flores. Canta*)

Meu pai diz que sou a flor
mais bela do seu jardim,
e que me tem muito amor
— e eu digo sempre que sim.

Meu pai diz que a minha pele
é mais clara que o marfim,
que o meu sorriso é de mel
— e eu digo sempre que sim.

Meu pai diz que dos meus dedos
nasce o cheiro do jasmim,
que é por mim que o sol vem cedo
— e eu digo sempre que sim.

Mas se um dia, de repente,
se turvar seu coração?
Se tudo ficar diferente
e eu tiver que dizer não?

PRÍNCIPE REGINALDO (*chama, baixinho*): Violeta! Violeta!

VIOLETA (*olhando em volta*): Quem me chama?

PRÍNCIPE REGINALDO: Sou eu, Violeta, estou aqui mesmo!...

VIOLETA: Que voz é esta que parece ir direitinha ao meu coração?

PRÍNCIPE REGINALDO (*aparecendo*): Aqui me tendes, senhora! Reginaldo, para vos servir!

VIOLETA (*rindo*): Que susto vós me pregastes! Isso não é bonito, Príncipe Reginaldo!

PRÍNCIPE REGINALDO: O que é que não é bonito?

VIOLETA: Andar pelos jardins a uma hora destas, a assustar uma pobre donzela indefesa...

PRÍNCIPE REGINALDO (*rindo*): Que a pobre donzela indefesa me desculpe, mas o que aqui me traz é urgente: sabeis se vosso pai já terá finalmente consentido no nosso casamento?

VIOLETA: Ora... Meu pai julga que eu ainda sou a menina pequena que ele um dia embalou no berço... Neste momento pensa apenas no casamento de minhas irmãs, e nem sequer se lembra que vós estais há tanto tempo à espera de uma palavra sua. Tenho muito amor a meu pai, Príncipe Reginaldo, e não quero causar-lhe desgosto algum. Só por isso não insisti hoje com ele para que, ao menos, vos recebesse. Sinto que alguma coisa o perturba neste momento. Por isso não quero perturbá-lo ainda mais. Teremos de ter paciência, e de esperar mais uns dias.

PRÍNCIPE REGINALDO: Seria capaz de esperar por vós a vida inteira, se necessário fosse!

VIOLETA (*sorrindo*): A vida inteira é muito tempo, Príncipe Reginaldo! Que graça tinha casar velha, cheia de rugas, desdentada...

PRÍNCIPE REGINALDO (*interrompendo-a*): Nunca sereis velha, Princesa Violeta! Tendes um coração de oiro, e quem tem um coração de oiro nunca envelhece, mesmo que viva até aos 100 anos.

VIOLETA (*rindo*): Pode ser... Mas não gostava muito de me casar aos 100 anos!

PRÍNCIPE REGINALDO: Às vezes tenho medo que vosso pai pense que não sou digno de receber o seu tesouro mais valioso. Que ele não ache o meu palácio suficientemente majestoso para se tornar na vossa morada; que ele pense que o meu reino não tem riqueza que baste ao vosso olhar... (*Suspira*) Vossas irmãs sei eu que não morrem de amores por mim...

VIOLETA: Não faleis de minhas irmãs, que o meu coração não me diz nada de bom...

PRÍNCIPE REGINALDO: Como? Será verdade, Princesa Violeta, que acreditais em presságios e agoiros?

VIOLETA (*séria*): Não foi presságio nem agoiro. Foi um sonho. Um sonho que tive esta noite.

PRÍNCIPE REGINALDO: É a mesma coisa. Só uma criança acredita em sonhos.

VIOLETA (*sorrindo*): Então tem o meu pai razão... Se calhar não passo mesmo de uma criança...

PRÍNCIPE REGINALDO: Mas dizei que estranho sonho foi esse que tanto vos perturbou?

VIOLETA: Fareis troça...

PRÍNCIPE REGINALDO: Prometo que não.

VIOLETA: Não sei bem explicar, era tudo muito confuso, havia muito barulho...

PRÍNCIPE REGINALDO: Natural... São os preparativos da festa... Até eu os consigo ouvir daqui...

VIOLETA: Eu não disse que iríeis zombar de mim?

PRÍNCIPE REGINALDO: Desculpai, senhora, juro que não torno! Mas a vossa presença junto de mim faz-me tão feliz, que tenho grande dificuldade em acreditar em sonhos de desgraça.

VIOLETA: Era um barulho de armas, de espadas contra espadas, de gritos, e a voz do meu pai chamando por nós, e Hortênsia e Amarílis riam, riam muito alto, e os risos delas confundiam-se com os gritos de meu pai e com o barulho das lanças e das espadas...

PRÍNCIPE REGINALDO: E vós? Que fazíeis vós no meio de tudo?

VIOLETA: Isso era ainda o mais estranho... Eu estendia a mão a meu pai e ele não me via. Parecia que subitamente tinha ficado cego, que todas as maldições do mundo tinham caído sobre os seus ombros. Eu chamava-o e ele não me ouvia, era como se eu não existisse, e eu via-o caminhar à toa, mesmo à beira de um precipício, e estendia-lhe a minha mão, bastava ele segurar-se à minha mão para nada lhe acontecer, mas ele nem a minha mão via, e por fim acabou por desaparecer... (*Pausa*) Acordei a gritar, encharcada em suor. Minha ama quis chamar o físico da corte mas eu não deixei. Ia rir-se de mim, pela certa... Como vós...

PRÍNCIPE REGINALDO: Não me rio. Prometi, está prometido! Mas não vamos levar a sério esses sonhos...

VIOLETA: São presságio de desgraça!

PRÍNCIPE REGINALDO: São apenas a consequência de alguma história que vossa ama vos contou...

VIOLETA: Ao tempo que a minha ama não me conta histórias!

PRÍNCIPE REGINALDO: Seja o que for, não vamos deixar que um sonho sem importância venha perturbar estes momentos em que estamos juntos!

VIOLETA: Claro, tendes razão, como eu sou tonta!

(*Abraçam-se*)

PRÍNCIPE REGINALDO: Vamos então esperar que vosso pai fique de melhor disposição, e depois voltaremos a falar com ele sobre o nosso casamento.

VIOLETA: Deixemos passar os festejos do casamento de minhas irmãs.

PRÍNCIPE REGINALDO: De acordo. Quando tudo estiver mais calmo, ele entenderá melhor as minhas palavras.

CENA VI
CRIADAS E CRIADOS

(*Preparativos para a festa, os criados passam com grandes travessas, cestos, barris, etc. ... Cantam*)

CRIADA A: *Bebam desta aguardente de medronhos!*

CRIADA B: *Sintam como são doces os meus sonhos!*

CRIADA C: *Provem peito de rola e de perdiz!*

CRIADA D: *Olhem a transparência deste anis!*

CORO DOS CRIADOS:
> *Perus e galinhas,*
> *coelhos, faisões,*
> *trutas e sardinhas,*
> *javalis, leitões,*
> *bifes de vitela,*
> *filhos, aletria,*
> *arroz com canela,*
> *chá, café, sangria,*

pêras, framboesas,
laranjas, limões,
maçãs camoesas,
morangos, melões

CORO DAS CRIADAS:
Lavamos,
secamos,
varremos o chão,
subimos,
descemos,
moemos o grão,
assamos,
fritamos,
cozemos o pão,
sujamos,
limpamos,
tratamos do cão,
choramos,
gritamos,
cortamos a mão,
suamos,
sonhamos,
pedimos perdão,
vivemos,
morremos,
por meio tostão

CRIADOS E CRIADAS EM CORO:
suamos,
sonhamos,

pedimos perdão,
vivemos,
morremos por meio tostão.

(*Saem*)

Cena VII
REGINALDO, FELIZARDO E SIMPLÍCIO

(*Os Príncipes Felizardo e Simplício entram de braço dado.
Atrás deles vem o Príncipe Reginaldo*)

PRÍNCIPE FELIZARDO: A minha Amarílis vai ser a rainha
mais rica destes reinos vizinhos, olá se vai! Posso não parecer, mas aqui onde me vedes, não sou propriamente um
pelintra, ah! ah! ah! A minha fortuna é calculada em...
(*Pensa, pensa*) ... ora deixa cá ver Felizardo, deixa cá ver...
(*Desiste*) A minha memória está fraca, deve ter sido da viagem... Com licença... (*Mete a mão ao bolso e tira um longo rolo
de papel que lê*) ... Ora bem, então lá vai: «256 bois, 256
vacas...» lá no meu reino cada boi tem sempre a sua vaca,
que é para não haver problemas... (*Volta à leitura*) «... 8965
galinhas poedeiras...» e se elas põem ovos, caramba!...
(*Volta à leitura*) «... 672 cavalos, mais 8967 bestas de
carga». Para além disso as minhas terras dão, por ano,
«1345 alqueires de trigo, outros tantos de cevada, e mais
4876 alqueires de aveia...» (*Para, satisfeito*) ... É obra, hã?...

(*Virando-se para Simplício*) E tu? Que tens para oferecer à tua Hortênsia?

PRÍNCIPE SIMPLÍCIO: Tiraste-me as palavras da boca!

PRÍNCIPE REGINALDO: Grandes riquezas tendes para oferecer a vossas noivas, estou certo disso, mas não falastes na maior de todas, e dessa sou eu o mais rico de todos!

PRÍNCIPE FELIZARDO: Quem sois vós, e como aparecestes assim de repente?

PRÍNCIPE REGINALDO: Sou Reginaldo, pretendente à mão da Princesa Violeta.

PRÍNCIPE FELIZARDO: Violeta? Aquela lingrinhas?

PRÍNCIPE SIMPLÍCIO: Tiraste-me as palavras da boca!

PRÍNCIPE REGINALDO: De muitas riquezas ouvi falar, senhores, mas nenhum de vós falou em amor!

PRÍNCIPE FELIZARDO: Amor? Mas o que é que tem o amor a ver com isto?

PRÍNCIPE REGINALDO: Um casamento só se faz quando há amor, muito amor!

PRÍNCIPE FELIZARDO: Um casamento só se faz quando há (*tirando o rolo do bolso*) «256 bois, 256 vacas...».

PRÍNCIPE REGINALDO (*interrompendo*): Já sei, já sei, ouvi há pouco a lengalenga toda. Pois sabei: a minha Violeta terá o meu coração inteiro, e isso é riqueza bem maior do que os vossos bens todos juntos!

PRÍNCIPE FELIZARDO: Maior do que... (*Volta a tirar o rolo*) «... 256 bois, 256 vacas, 8000...».

PRÍNCIPE REGINALDO (*interrompendo*): Muito maior!

PRÍNCIPE FELIZARDO: E o que é que a gente faz com um coração?

PRÍNCIPE SIMPLÍCIO: Tiraste-me as palavras da boca!

PRÍNCIPE REGINALDO: Com um coração trazemos as pessoas que amamos para dentro de nós próprios, e é através dos seus olhos que vemos o mundo, e é através dos seus ouvidos que ouvimos o cantar das aves e das ondas do mar, e é através das suas mãos que sentimos a suavidade do linho ou da areia das praias...

PRÍNCIPE FELIZARDO: Ui, isso deve fazer cá uma impressão danada...

PRÍNCIPE SIMPLÍCIO: Tiraste-me as palavras da boca!

PRÍNCIPE FELIZARDO: Ah, mas ainda não ouvistes tudo! Por cada filho que a minha Amarílis me der, ofereço-lhe, ora deixa cá ver, Felizardo... (*Tira o rolo de papel da algibeira*) ... vinte lingotes de ouro maciço! É obra, hã?

PRÍNCIPE REGINALDO: Pois a minha amada Violeta receberá, por cada filho que me der, ainda mais amor, e toda a minha gratidão.

PRÍNCIPE FELIZARDO: Gratidão? Palavra estranha...

PRÍNCIPE SIMPLÍCIO: Tiraste-me as palavras da boca!

PRÍNCIPE REGINALDO: É palavra que deve sempre andar ligada ao amor, pois, sem ele, não faz sentido nenhum. Assim me ensinaram meus pais e meus avós, e assim ensinarei aos filhos e netos que um dia tiver.

PRÍNCIPE FELIZARDO: Cá os meus pais ensinaram-me a somar dois e dois, e mais do que isso nunca precisei de saber.

Cena VIII

OS MESMOS MAIS HORTÊNSIA
E AMARÍLIS

HORTÊNSIA: Bonito! Nós duas à vossa espera no salão e vós aqui na conversa...

PRÍNCIPE FELIZARDO: Estávamos a tirar teimas para ver qual de vós ia ser a mais rica...

PRÍNCIPE REGINALDO: Tirai-me do grupo. A mim só me interessa saber que, a meu lado, Violeta vai ser a princesa mais amada e a mais feliz que o sol contempla.

PRÍNCIPE FELIZARDO (*para Amarílis*): Não ligueis ao que ele diz... Isto passa-lhe com a idade. Ou então com uma colherzita de bicarbonato de sódio...

PRÍNCIPE SIMPLÍCIO: Tiraste-me as palavras da boca!

HORTÊNSIA (*para Simplício*): O vosso vocabulário, meu amado noivo, é um pouco reduzido, convenhamos, mas como é farta a vossa bolsa, e largos os horizontes do vosso reino (*ri*), quem é que precisa de grandes discursos?

PRÍNCIPE SIMPLÍCIO: Tiraste-me as palavras da boca!

Cena IX

OS MESMOS MAIS VIOLETA

VIOLETA: Nosso pai chama-nos, vinde já! (*Olha para Reginaldo*) Não vos sabia em tão boa companhia...

PRÍNCIPE FELIZARDO: Pois é, encontrámo-nos todos no jardim a apanhar fresco, que está cá uma caloraça que só visto...

HORTÊNSIA (*para Amarílis*): O meu noivo pode ser de poucas falas, mas o teu exprime-se de maneira tão deselegante...

AMARÍLIS (*sorrindo*): Mas foi de uma elegância sem limites quando há pouco abriu um cofre e de lá tirou este anel e este colar de oiro maciço que me deu... Diante disto, quem é que pensa em deselegâncias de discurso? De resto, minha querida irmã, eu acho que os maridos se fizeram para terem sempre as bolsas abertas e as bocas fechadas...

HORTÊNSIA (*rindo*): Como diria o meu amado noivo, «tiraste-me as palavras da boca!».

49

Cena X

REI LEANDRO, BOBO, FELIZARDO, SIMPLÍCIO, REGINALDO, VIOLETA, HORTÊNSIA, AMARÍLIS, CONSELHEIRO

(Sala do banquete. Todos sentados à mesa. No lugar de honra da mesa, o rei, que se levanta para fazer um discurso)

REI: Tive um sonho esta noite...

BOBO: Eu sabia... Ficou com aquela encasquetada na cabeça, que hei de eu fazer...

REI: Um sonho estranho, muito estranho...

PRÍNCIPE FELIZARDO: Ora, ora, sonhos são tretas. Eu cá nunca sonho.

REI *(zangado)*: Que ninguém me interrompa quando eu estiver a falar dos meus sonhos!

PRÍNCIPE FELIZARDO: Pronto, pronto, já cá não está quem falou...

REI: No meu sonho faziam-se terríveis premonições...

(Nesta altura Violeta levanta-se da mesa, e fica de pé, muito séria, a olhar para o rei durante todo o seu discurso)

PRÍNCIPE FELIZARDO *(para Simplício)*: Pre... quê?

(Simplício encolhe os ombros)

REI: ... vi o meu manto levado pelo vento, a minha coroa arrastada pela fúria das águas...

PRÍNCIPE FELIZARDO: Que vendaval, caramba!

REI: ... o meu cetro arrancado por forças invisíveis...

PRÍNCIPE FELIZARDO: Fantasmas é que não! Com isso é que eu não brinco!

PRÍNCIPE SIMPLÍCIO: Tiraste-me as palavras da boca!

REI: ... durante o dia de hoje não consegui pensar noutra coisa... Eu sabia que este sonho queria dizer-me qualquer coisa. Os sonhos são recados que os deuses nos mandam, e os deuses estavam decerto a querer dizer-me alguma coisa muito importante.

PRÍNCIPE FELIZARDO: Esta agora! E eu a pensar que a gente tinha sonhos destes quando comia de mais ao jantar, e se esquecia de tomar bicarbonato de sódio...

REI: ... Foi então que percebi. Foi então que tudo se fez claro no meu espírito: os deuses querem que eu deixe de reinar.

VIOLETA *(dá um grito e cai de joelhos diante do pai)*: Não pode ser... esse sonho, meu pai... esse sonho... Não pode ser...

BOBO *(dando um salto e ficando diante do rei)*: Senhor, uma história dessas nem eu seria capaz de inventar!

52

REI: Não é história inventada, meu pobre tonto... É um aviso dos deuses, e os deuses devem...

BOBO: ... estar loucos!

REI: Cala-te, que não se pode ofender os deuses! Os deuses devem saber melhor do que nós o que tem de ser feito.

HORTÊNSIA: Mas afinal que querem os deuses que façais, meu pai?

REI: Que entregue as rédeas do meu reino a quem melhor do que eu o puder agora governar. Os deuses devem pensar que estou velho de mais. E têm razão... Há manhãs em que já me custa levantar cedo — e um rei tem de estar a velar pelos seus súbditos desde o nascer ao pôr do Sol...

PRÍNCIPE FELIZARDO: Ena, que exagero!...

REI: Há momentos do dia em que me apetece deixar tudo, manto, coroa, cetro, conselheiro, e ir por aí como qualquer vulgar habitante do meu reino, e sentir o sabor a sal da espuma das ondas, e o cheiro a maçãs e a folhas secas que traz o outono, e pisar a areia da praia, e adormecer ao sol como os lagartos... Sim, os deuses devem ter razão. Já trabalhei tempo suficiente. Durante anos e anos lutei por este reino, aumentei-lhe a riqueza, alarguei-lhe as fronteiras, sempre a pensar no futuro das minhas filhas. Por elas trabalhei estes anos todos. Por elas suportei noites de insónias a resolver problemas. Elas foram sempre a minha única razão de viver. Por isso acho que mereço descansar, e gozar em paz os anos de vida que me restam.

AMARÍLIS: E que todos esperamos que ainda sejam muitos!

PRÍNCIPE FELIZARDO: Muitos e bons, e a gente a ver! Cá vai à vossa! (*Bebe*)

PRÍNCIPE SIMPLÍCIO (*fazendo o mesmo*): Tiraste-me as palavras da boca!

REI: Foi então que, depois de pensar muito e de me aconselhar com quem mais sabe (*o conselheiro sorri e baixa a cabeça a fingir de envergonhado*), decidi tomar uma decisão histórica...

BOBO (*aparte*): Aconselhou-se com aquele cretino, vai sair asneira pela certa...

REI: Tivesse eu filho varão, e não haveria problema; segundo as nossas leis, dele seria este reino, e do filho que ele um dia tivesse. Mas os deuses, em vez de um filho varão deram-me três filhas (*pausa*), três filhas que são o meu maior tesouro, e a quem quero com todas as forças do meu coração. Escolher uma delas para me suceder na chefia do reino é coisa que não consigo fazer. Todas têm sido para mim filhas dedicadas e extremosas...

PRÍNCIPE FELIZARDO (*para Simplício*): Filhas quê?

(*Simplício encolhe os ombros*)

REI: ... todas têm mostrado serem dignas do meu amor, todas seriam dignas de me suceder.

PRÍNCIPE FELIZARDO (*dando uma cotovelada a Simplício*): Ó sócio, não me digas que ainda vamos ser reis disto?!

REI: ... Decidi então, depois de ouvir o meu conselheiro...

BOBO (*aparte*): Mas por que não me ouviu ele antes a mim?!

REI: ... que o amor tem de ser recompensado: darei o meu reino à filha que demonstrar ter maior amor por mim.

HORTÊNSIA E AMARÍLIS (*levantam-se ao mesmo tempo e dizem em coro*): Sou eu quem mais vos ama, senhor! (*Olham uma para a outra, e voltam a sentar-se*)

REI: Com calma, vamos com calma e sem precipitações!

PRÍNCIPE FELIZARDO: A isto chamo eu organização, sim senhor!

PRÍNCIPE SIMPLÍCIO: Tiraste-me as palavras da boca!

REI: Vinde até aqui, Amarílis, minha filha primogénita...

PRÍNCIPE FELIZARDO (*para Simplício*): Primo... quê?

(*Simplício encolhe os ombros*)

REI: ... e dizei-me de vosso amor por mim!

AMARÍLIS (*ajoelha diante do rei*): Meu senhor, o meu coração é pequeno de mais para conter todo o amor que vos tenho. Quero-vos muito mais do que ao Sol que me alumia, muito mais que à luz dos meus próprios olhos, muito mais que ao marido que vou desposar...

PRÍNCIPE FELIZARDO (*para Simplício*): Aquilo é comigo, ó sócio?

(*Simplício diz que não com a cabeça, o outro fica mais sossegado*)

REI: Vinde até aqui, Hortênsia, minha filha do meio, e dizei-me de vosso amor.

HORTÊNSIA: Senhor, as palavras são poucas para vos falar de tão grande amor. Seria necessário inventar palavras novas para com rigor eu poder definir o que o meu coração

55

sente por vós. Pedi-me que morra por vós, e eu, alegremente, o farei, pedi-me que vos dê meus olhos, meus braços, fígado ou coração, e tudo vos darei. O meu amor por vós não tem fim, é maior que a imensidão das águas e dos céus. Quero-vos mais do que a mim própria, muito mais do que ao ar que respiro, mais do que ao sangue que corre nas minhas veias.

PRÍNCIPE FELIZARDO (*para Simplício*): Não será exagero?

(*O outro diz que não com a cabeça*)

REI: Vinde até aqui, Violeta, minha filha mais nova, e dizei-me de vosso amor por mim!

VIOLETA: Meu senhor, não sei falar como minhas irmãs. Sei apenas que sou vossa filha, e que todas as filhas devem amar seus pais. Sei como é difícil para mim pensar no dia em que irei viver longe de vós. Quando eu era muito pequenina e tinha pesadelos, vós estáveis sempre à beira do meu leito. Pelo inverno, quando o vento soprava e as febres atacavam o meu corpo frágil, éreis vós, senhor, que eu via a meu lado até conseguir acalmar. De tudo me lembro, e tudo o meu coração guarda com a gratidão que todas as filhas devem sentir pelos pais. Mais não consigo dizer.

REI: Mas Amarílis disse que me quer mais do que ao Sol, Hortênsia disse que me quer mais do que ao ar... e vós? Qual é a medida do vosso amor por mim?

VIOLETA: Não sei, senhor. O que não tem fim não se pode medir. É difícil encontrar medida para o amor.

REI (*zangado*): Elas encontraram! Tereis de a encontrar também!

VIOLETA: Preciso muito de vós, senhor!

REI (*zangado*): Não chega!

VIOLETA: Preciso de vós como...

REI: ... como?

VIOLETA: ... como... como a comida precisa do sal.

(*Vozes de espanto*)

REI (*muito zangado*): Estais a querer dizer que me quereis...

VIOLETA: Como a comida quer ao sal.

REI (*apoplético*): O sal?! Como a comida...

VIOLETA: ... quer ao sal.

REI: Estareis louca? Ou serei eu que, de repente, terei enlouquecido? Ousais comparar-me... ao sal?!

VIOLETA: Mas, senhor...

REI: É essa a paga de todos estes anos de amor? É essa a paga das muitas horas que perdi junto ao vosso leito, acalmando os vossos pesadelos?... Oh, deuses, isto é que é um pesadelo, um verdadeiro pesadelo!

VIOLETA: Mas o sal é um bem precioso, senhor, sem ele não podemos viver...

REI: Calai-vos! Nem mais uma palavra! Nunca mais quero ver o vosso rosto, nunca mais quero ouvir nem o mais leve som dos vossos passos! Vou esquecer que um dia tive uma filha com o vosso nome! (*Levanta-se, cambaleando, e chama:*) Escrivão!

Cena XI
TODOS MAIS ESCRIVÃO

ESCRIVÃO: Aqui estou, senhor!

REI: Escrevei então: que a partir de hoje ninguém neste reino ouse pronunciar o nome de Violeta, sob pena de ser levado à forca; que a partir de hoje Violeta seja banida deste reino, e a ele nunca mais possa voltar; que saia imediatamente do nosso castelo, sem levar nem tostão, nem manto, nem fita para o cabelo: irá tal qual está, e isso já é por grande bondade nossa. Que morra à fome ou à sede, que se esvaia em sangue nos tojos e nos cardos do caminho, que se perca nas florestas ou montanhas, nada disso me interessa. A partir deste momento tenho apenas duas filhas: Amarílis e Hortênsia.

VIOLETA: Mas, meu pai, eu amo-vos!

REI: Calai-vos, ingrata! Desaparecei da minha vista. (*Para o escrivão*) Vai fazer cumprir as minhas ordens! E já!

ESCRIVÃO: Sim, senhor.

(Vai a sair, mas o rei volta a chamá-lo)

REI: Ainda uma outra coisa, escrivão!

ESCRIVÃO: Dizei, senhor.

REI: Que a partir de hoje, nem mais uma violeta seja plantada nos jardins deste reino. Nem mais uma, ouves bem o que te digo?

ESCRIVÃO: Sim, senhor. *(Sai)*

(Príncipe Reginaldo sai do lugar onde estava e coloca-se diante do rei)

PRÍNCIPE REGINALDO: Se alguém aqui é ingrato, não será decerto Violeta.

REI: Quem sois vós, e que fazeis aqui?

PRÍNCIPE REGINALDO: Vossa ira é tamanha que já nem do meu rosto vos lembrais. Ainda não há muitos dias vos pedi a mão de Violeta, mas vós então dissestes que eu esperasse, que ela era ainda uma criança, que um dia se veria. Pois esse dia chegou, senhor. Mais cedo do que eu pensava, mas chegou. Violeta partirá deste reino porque vós o ordenastes, e nestes tempos em que vivemos, as ordens de um rei, por mais absurdas, têm de se cumprir. Mas não irá sozinha. Irá comigo, senhor. Casaremos assim que chegarmos ao meu reino.

REI: Mas tereis vós ouvido bem o que acabei de dizer? Olhai que a partir de agora ela não será mais minha filha. Ireis casar com uma vulgar plebeia que só terá de seu o que leva no corpo.

PRÍNCIPE REGINALDO: De mais não necessito, senhor.
O amor que sinto por vossa filha...

REI (*aos gritos*): Ela não é minha filha!

PRÍNCIPE REGINALDO: ... o amor que sinto por Violeta
nada tem a ver com oiro, joias ou terras a perder de vista.
Quero-lhe...

REI (*sarcástico*): ... como a comida quer ao sal?...

PRÍNCIPE REGINALDO: Tirastes-me as palavras da boca!

PRÍNCIPE FELIZARDO (*para Simplício, pensando que foi ele que
falou*): Não te metas na conversa que isto não é connosco!

(*Príncipe Simplício abre os olhos muito espantado, e faz
sinal de que não foi ele que falou, ele nem sequer abriu a boca*)

REI: Pois então levai-a! E bom proveito vos faça a comida!
Estais bem um para o outro! Fora da minha vista e do
meu reino! Fora! Fora, filha maldita!

(*Para, a arfar, o conselheiro acalma-o, e ele volta a sentar-se*)

REI: E agora vós, minhas filhas, minhas duas únicas
filhas, minhas flores deste jardim, vós que tanto amor me
tendes, vós que tudo seríeis capaz de sacrificar por mim,
vinde cá!

(*Aproximam-se ambas, com os noivos*)

REI: Ouvi bem o que decidi. A partir deste momento, o
reino de Helíria é vosso.

HORTÊNSIA E AMARÍLIS: Nosso?!

REI: Vós, Amarílis, governareis o Norte, com a riqueza dos seus pomares, das suas vinhas, das suas searas, das suas pastagens, do peixe dos seus lagos e mares; e vós, Hortênsia, governareis o Sul, com o ferro, o cobre, o estanho das suas minas, e a água milagrosa das suas nascentes. A partir deste momento, passo todo o meu poder para os vossos ombros: sereis senhoras absolutas dos domínios que vos entrego. Nada mais quero do que ver-vos felizes, reinando, ao lado dos nobres maridos que haveis escolhido.

HORTÊNSIA: Mas, senhor, e vós como ireis viver? De que modo encontrareis vosso sustento?

BOBO (*aparte*): Eu bem disse que isto ia acabar mal...

REI: Fácil, minha querida filha, muito fácil. Poucas são as necessidades de um velho. Viverei seis meses do ano no vosso reino, os outros seis no reino de vossa irmã. Assim não estarei muito tempo longe de vós, a quem tanto amo. Em troca do reino que vos dá e do poder que vos entrega, este vosso velho pai quer apenas uma cama para dormir no vosso palácio, e um lugar para comer à vossa mesa.

AMARÍLIS: E o vosso séquito?

REI: Dispenso o meu séquito. Não preciso dele. Para me acompanhar quero apenas o meu fiel bobo, e mais ninguém.

PRÍNCIPE FELIZARDO (*para Simplício*): Não me parece mau negócio, ó sócio!

PRÍNCIPE SIMPLÍCIO: Tiraste-me as palavras da boca!

BOBO: Isto continua a não me cheirar bem... Se era este o recado dos deuses...

AMARÍLIS (*curvando-se diante do rei*): Faça-se a vossa vontade, senhor!

(*Vão saindo todos, menos Hortênsia e Amarílis. Quando Amarílis vai a sair Hortênsia chama-a*)

HORTÊNSIA: Mais devagar, maninha!

AMARÍLIS (*virando-se para trás*): Disseste alguma coisa?

HORTÊNSIA: Disse: mais devagar. É que temos agora um problema para resolver.

AMARÍLIS: Problema? Que problema?

HORTÊNSIA: Qual de nós duas vai ser a primeira a ter de aturar o velho?...

(*Olham-se ambas muito sérias*)

2.º ATO

Cena I
LEANDRO, BOBO

(*Muitos anos depois o rei Leandro e o Bobo caminham pela estrada. Vestem farrapos e vão cansados da longa jornada*)

REI: Há quantos anos caminhamos, meu pobre amigo?

BOBO: Tantos que já lhes perdi o conto, meu senhor! Desde aquele dia em que tuas filhas...

REI (*zangado*): Eu não tenho filhas!

BOBO: Pronto, pronto, senhor, não te amofines por tão pouco... Ia eu a dizer que, a princípio, ainda tentei contar. Via nascer o Sol de madrugada, via a minha sombra e a tua desenhadas no chão, a gente a querer apanhá-la e ela sempre à nossa frente!, via depois o Sol desaparecer do outro lado das montanhas, e então dizia: passou-se um dia. Fechava os olhos, dormia um pouco, e de novo o Sol se erguia de madrugada e desaparecia do outro lado das montanhas, e então eu dizia: passou-se outro dia. E tentei contá-los. (*Conta pelos dedos*) Um... dois... três... quatro...

mas, de repente, eram tantos dias que não havia dedos para eles todos, mesmo que eu contasse da mão esquerda para a mão direita, da mão direita para a mão esquerda, mesmo que eu contasse as duas mãos juntas e ainda os pés... Acho que se me acabaram os números, senhor! Deve ter sido isso!

REI: Meu pobre tonto... e eu aqui sem te poder ajudar em nada... De tanto chorar, cegaram os meus olhos. De tanto pensar, tenho a memória enfraquecida. De tanto caminhar, esvaem-se em sangue os meus pés... E dizer que eu sou rei...

BOBO: Rei?! Quem foi que aqui falou em rei? Aqui não vejo rei nenhum...

REI: Não provoques a minha ira, que eu ainda tenho poder para...

BOBO (*interrompe-o*): Poder? Falaste em poder? Que poder tens tu, que nem uma mísera côdea de pão consegues encontrar?

REI: Eu sou Leandro, o rei de Helíria!

BOBO (*virando-se para a assistência*): A sério: veem aqui algum rei? Digam lá: veem? O quê? Aquele? (*Aponta para o rei*) Se o encontrassem aí pelas vossas ruas, ou nalgum corredor do metropolitano, não iriam a correr deixar-lhe uma esmola no colo? Se então alguém vos dissesse «cuidado que ele é rei» o que fariam? Riam à gargalhada, com certeza!

REI (*murmura*): Eu sou Leandro, o rei de Helíria...

BOBO (*continua a falar para a assistência*): É verdade que o viram há pouco ali ao fundo, gritando, dando ordens, senhor do mundo! Nessa altura — há tantos anos que isso foi! —, nessa altura aquele homem era rei. Escorraçado pelas filhas, mendiga agora um bocado de pão, pede por amor de Deus um telhado para se abrigar das chuvas e dos ventos...

REI (*murmura*): Eu sou Leandro, o rei de Helíria...

BOBO (*continuando a dirigir-se à assistência*): E agora pergunto-vos: que foi que mudou nele? Terá... outra cara? Outras pernas? Outros braços? Olhem-no bem. O que foi que nele mudou?

REI (*murmura*): Eu sou Leandro, o rei de Helíria!

BOBO (*id.*): Tinha um manto e já não tem. Tinha uma coroa e entregou-a a outros. Tinha um cetro e deixou-o em mãos alheias. Assim se faz e desfaz um rei. Assim passa o poder neste mundo...

REI (*murmura*): Eu sou Leandro, o rei de Helíria...

BOBO: Assim se transforma um soberano na mais insignificante das criaturas.

REI (*cansado, canta devagar*):
> *Tive um reino, tive um manto,*
> *tive um cetro e uma coroa,*
> *filhas que eram o meu encanto*
> *— que mais podia querer*
> *uma pessoa?*

BOBO (*em contraponto*):
> *Deste o reino, deste o manto,*
> *deste o cetro, deste a coroa*
> *às filhas do teu encanto*

— *como pode ser tão louca*
uma pessoa?

REI:

Agora só tenho um bobo,
um cajado e meia broa,
estou cego, cansado, roto
— *que mais pode aguentar*
uma pessoa?

BOBO:

Agora só tens um bobo,
e é ele que te arranja a broa!
Assim estás por tua culpa
— *como pode ser tão louca*
uma pessoa?

BOBO (*ainda para a assistência*): Às vezes olho para ele e não sei se o meu coração se enche de uma pena imensa ou de uma raiva sem limites...

REI: Que resmungas tu?

BOBO: Nada, senhor, falava com as pedras do caminho...

REI: E bem duras são elas...

BOBO: Pois são, mas vamos depressa que, ou muito me engano, ou vem aí tempestade da grossa! Abriguemo-nos nesta gruta.

(*Entram para a gruta*)

Cena II

OS MESMOS MAIS O PASTOR

PASTOR: Quem vem lá?

REI (*imponente*): Nada temais! Sou Leandro, o rei da Helíria!

PASTOR (*rindo*): Pois eu sou o Rei de Copas! Ah! Ah!
Entrai, entrai no meu palácio, que estais entre iguais! Ah!
Ah! Ah! E isto foi o que sobrou do meu último banquete!
(*Estende-lhe um bocado de pão. Olha-o de frente e recua, muito
surpreendido, murmurando*) A cor dos olhos... O tamanho
das barbas... O porte altivo...

BOBO: Que foi?

PASTOR: Nada, nada...

BOBO: Não faças caso... Ele não regula com eles todos
bem aparafusados... Mas é inofensivo.

(*Entretanto o rei, cansado, vai-se aproximando da fogueira,
senta-se junto dela, estende-se e adormece*)

71

PASTOR: Está assim há muito?

BOBO: Isso é história muito complicada...

PASTOR (*ofendido*): Não sou burro!

BOBO: É uma história muito comprida...

PASTOR: Eu também não tenho pressa. E o melhor que me podem dar é uma boa história! Daquelas que metem muito sangue, muita espadeirada, inimigos por todos os lados com lanças espetadas nas barrigas...

BOBO: Olha que às vezes há palavras que matam muito mais depressa do que uma valente espadeirada...

PASTOR: Nunca vi!

BOBO: Então, enquanto a tempestade não amaina, vou-te contar como tudo aconteceu.

PASTOR: Morreu muita gente?

BOBO: Morreu ele. (*Aponta o rei*)

PASTOR (*com medo*): Não! Não me digas que é uma alma do outro mundo! Isso é que não! Tudo menos uma alma do outro mundo!

BOBO: Acalma-te. Aqui só há almas deste mundo.

PASTOR: Mas tu disseste...

BOBO: Morreu o rei. O que tinha poder. O que era senhor do reino de Helíria. Ficou apenas o que havia por baixo da coroa. Ou seja: um pobre diabo igual a todos nós...

PASTOR: Estranha história deve ser essa...

BOBO: Tudo começou quando ele decidiu dar o reino à filha que mais o amasse, e a sua filha preferida declarou que lhe queria tanto como a comida queria ao sal...

72

PASTOR: Grande vai o mal na casa onde não há sal...

BOBO: Que dizes?

PASTOR: Nada, nada... É uma coisa que a minha Briolanja anda sempre a dizer.

BOBO: Pena o rei não conhecer a tua Briolanja... Talvez tudo tivesse sido diferente, porque foi depois disso que tudo se complicou.

(*A luz vai diminuindo e apaga-se sobre o bobo, o rei e o pastor, e ilumina as princesas e os príncipes*)

Cena III
AMARÍLIS, HORTÊNSIA, FELIZARDO, SIMPLÍCIO

AMARÍLIS: Chamei-te aqui ao meu reino, querida irmã, porque é preciso resolver o que iremos fazer com o nosso pai.

HORTÊNSIA: Desde já te digo, querida irmã, que nos meus domínios não há lugar para ele. Aceitei sem um protesto a sorte que determinou ser eu a primeira a recebê-lo. Mas só eu sei o que sofri durante os seis meses em que tive de o suportar!

AMARÍLIS: Então e eu? E estes malditos seis meses que hoje terminam? Um inferno! Um inferno é o que isto tem sido!

HORTÊNSIA: Emagreci dez quilos só com as vergonhas que ele me fez passar!

AMARÍLIS: Estou cheia de olheiras, das noites todas em que não consegui dormir só com medo do que ele iria inventar no dia seguinte...

(*Cantam*)

HORTÊNSIA: *Queria andar pelo meu reino*
em liberdade!

AMARÍLIS: *E no meu quer que o tratem*
por majestade!

HORTÊNSIA: *Sujou de lama o chão,*
parecia louco...

AMARÍLIS: *Dou-lhe farelo e pão,*
e diz que é pouco!

HORTÊNSIA: *Diz que é húmida a palha*
onde se deita

AMARÍLIS: *E o bobo que traz é*
da mesma seita!

PRÍNCIPE FELIZARDO: *Pisa o meu chão*
bebe o meu vinho
come o meu pão
e o meu toucinho

Ovo que veja
salta-lhe em cima
roubou três uvas
nesta vindima

Porque eu cá tenho
tudo contado
e dou por falta
de meio cruzado

Noite ou manhã
estou sempre à coca!
Quem me roubar
leva co'a moca

PRÍNCIPE SIMPLÍCIO: Tiraste-me as palavras da boca!

AMARÍLIS: Temos de agir rapidamente. Diz-me: poderás levá-lo ainda hoje para o teu reino? Terminados estão os seis meses que me competiam.

HORTÊNSIA: Enlouqueceste, certamente!

PRÍNCIPE FELIZARDO: Também não podemos deitar o velho a afogar, como se faz aos gatos recém-nascidos...

(*Andam de cá para lá a pensar*)

AMARÍLIS: Vejamos... Afinal de contas, minha irmã, o que é um rei?

HORTÊNSIA: É quem tem poder e mando sobre a sua terra e as suas gentes.

PRÍNCIPE FELIZARDO: É quem tem... (*Tira do bolso o rolo de papel*)... 256 bois, 256 vacas... 8000...

PRÍNCIPE SIMPLÍCIO: Tiraste-me as palavras da boca!

AMARÍLIS: E não largou ele, por sua expressa vontade, o poder e o mando?

TODOS: Largou!

AMARÍLIS: Alguém a isso o obrigou?

TODOS: Não!

AMARÍLIS: Não quer isto dizer que, a partir desse momento, ele ficou igual a qualquer outro súbdito do nosso reino?

TODOS: Claro!

AMARÍLIS: Pois então que seja tratado como qualquer outro súbdito do nosso reino. Não farei distinções. Não tem casa? Que a construa. Não tem comida? Que trabalhe para a conseguir. No meu reino não quero vadios nem preguiçosos!

HORTÊNSIA: Do meu reino são expulsos todos os que não trabalham!

PRÍNCIPE FELIZARDO: É assim mesmo! Quem não trabuca, não manduca... Ah! Ah! O pior é que...

HORTÊNSIA: O pior é que...?

PRÍNCIPE FELIZARDO: O pior é que ele era rei. O que sabe fazer um rei, quando deixa de ser rei?

HORTÊNSIA: Quero lá saber! Tivesse pensado nisso antes!

AMARÍLIS: Está combinado: iremos sem demora dizer-lhe que estão terminados os seis meses de estada neste reino, e que não volta a haver aqui lugar para ele.

HORTÊNSIA: Iremos sem demora dizer-lhe que não vá sequer procurar o caminho do meu reino, sob pena de ser expulso se lá tentar entrar!

PRÍNCIPE FELIZARDO: Tratai vós dessas coisas, que eu cá tenho pouco jeito para velhotes...

AMARÍLIS: De resto, a culpa desta situação é toda dele!...

TODOS (*menos Simplício*): Toda dele!

PRÍNCIPE SIMPLÍCIO: Tiraram-me as palavras da boca...

Cena IV
BOBO, PASTOR, REI LEANDRO

(*A luz regressa à gruta*)

BOBO: E foi assim que tudo aconteceu. Todos o abando-
naram como se ele fosse um cão raivoso...

PASTOR: E... e a outra?

BOBO: Qual outra?

PASTOR: A do sal... (*Ri*)... «Como a comida quer ao
sal...» Não está má, não senhor...

BOBO: Ora... Sabemos lá onde se encontra, se é morta ou
viva...

PASTOR: Cruzes, homem, a tempestade dá-te ideias
negras.

BOBO: Foi nome que nunca mais pude pronunciar
diante dele. (*Aponta para o rei*)

PASTOR: Não há dúvida de que o velhote é de ressentimentos... Eu cá, já me têm feito muitas desfeitas, mas assim como vêm, assim vão, já nem me lembro delas!

BOBO: Mas tu não és rei.

PASTOR: Ser rei é assim tão diferente?

BOBO: Quando se tem a coroa na cabeça, é.

PASTOR: E nunca pensaste em ir por aí fora, à procura da outra?

BOBO: Qual outra?!

PASTOR: Ai!... A do sal!

BOBO: Para quê? Com muito mais razão nos fecharia as portas do seu reino. Pois não a expulsou ele um dia de casa? Pois não disse ele que, a partir dessa altura, era como se ela nunca tivesse nascido?

PASTOR: Ora... Coisas que se dizem... Eu cá, se fosse a ti, tentava.

BOBO: Ele matava-me! E eu posso ser bobo, mas não sou maluco! Quem fez este corpinho já não faz outro!

PASTOR: Ele não saberia de nada... Está cego... És tu que o conduzes...

BOBO: Ele está cego e tu estás doido! Sei lá por onde anda Violeta! Já tantos anos se passaram... Se a visse, de certeza que já nem a reconhecia. O que eu queria agora, mais que tudo, era poder encontrar um lugar para assentarmos de vez. O velho tem os pés em sangue, parece um farrapo, receio que não aguente nova caminhada.

PASTOR: Havias de gostar do meu reino...

REI (*desperta*): Em toda a parte há dor, ingratidão, miséria...

(*Juntam-se os três no meio da gruta para se aquecerem à roda da fogueira*)

PASTOR (*muito baixinho*): Havias de gostar do meu reino...

(*Apagam-se as luzes*)

Cena V
REGINALDO, VIOLETA, PASTOR

(*No palácio de Violeta e Reginaldo*)

PASTOR: É ele, senhora! Podeis acreditar nas minhas palavras. Tão certo como eu me chamar Godofredo Segismundo!

VIOLETA: Mas como podes estar assim tão certo se nem sequer o conheces?

PASTOR: Ora, senhora! Pois não estamos nós todos tão fartos... quero eu dizer, tão habituados a ouvir-vos falar dele? Pois não é verdade que todos os domingos nos reunis na praça do mercado para saber se algum de nós tem notícias? E não é verdade que todos os domingos, desde o ano em que o nosso príncipe Reginaldo vos trouxe como sua esposa, tornais a explicar-nos como ele era, a cor dos seus olhos, o tamanho das suas barbas, o porte altivo... Quem não o conheceria se o tivesse topado pela frente como me aconteceu esta noite a mim?

VIOLETA: Tens mesmo a certeza?

PASTOR: Já a tinha quando, ainda por cima, o bobo que o acompanha me contou a história toda tintim por tintim. Foi aí que eu disse cá para o meu cajado, Godofredo Segismundo és um homem de sorte: encontraste o pai da princesa!

PRÍNCIPE REGINALDO: E onde está ele agora? Por que não o trouxeste contigo?

PASTOR: Mau... Vamos lá a ver se a gente se entende... Então Vossa Alteza não arremata sempre a conversa dos domingos dizendo (*imita a voz da princesa*) «se alguém o encontrar, que o traga à minha presença mas sem lhe revelar a minha identidade»? (*Para*) Só o trabalhão que eu tive a decorar esse palavreado fino... «Sem lhe revelar a minha identidade...» Até tive de perguntar à minha Briolanja, que é mulher de tino. «Ó homem», disse ela, «isso quer dizer que não podes dar com a língua nos dentes, se fores tu a encontrar o velhote.» Com perdão de Vossa Alteza... isto é a gente a falar...

PRÍNCIPE REGINALDO: Mas como saberei se ele se encaminha para o meu reino? Não terá escolhido outra estrada? Não irá passar de lado, ou voltar para trás?

PASTOR: Tão certo como eu me chamar Godofredo Segismundo em como ele não tarda a bater-vos à porta!...

VIOLETA: Por que dizes isso?

PASTOR: Porque durante a noite, quando a tempestade estava mais acesa, eu disse...

Cena VI
PASTOR, REI LEANDRO, BOBO

(*Luz ilumina a gruta*)

PASTOR: Havias de gostar do meu reino...

REI (*vai murmurando, como se não ouvisse nada e estivesse a falar sozinho*): Em toda a parte há dor, ingratidão, miséria...

BOBO: Come-se lá bem?

PASTOR: Nunca vi maçãs mais vermelhas do que as que aparecem no mercado aos domingos, nem conheço carne mais macia do que a das nossas vitelas, ou leite mais doce do que o das nossas cabras...

REI: Em toda a parte há ódio, privações, ciúme...

BOBO: Batem-te muito?

PASTOR: Bater? No meu reino ninguém bate em ninguém!

BOBO: Ninguém?!

PASTOR: Ninguém. No meu reino não há escravos. No meu reino somos todos homens livres.

BOBO: O que é isso?

PASTOR: Isso o quê?

BOBO: Um homem livre.

PASTOR: Ora, sei lá... A minha Briolanja, se aqui estivesse, é que seria capaz de te explicar. Ela é que sabe usar bem as palavras. Às vezes até sabe bem de mais, e leva-me na cantiga... Ah! Ah!... Homem livre... é assim... assim como nos sonhos que a gente às vezes tem, sabes?, poder andar por toda a parte, dizer o que está dentro da nossa cabeça...

REI: Em toda a parte há morte, ambição, loucura...

BOBO: E se o que está dentro da tua cabeça não for igual ao que está dentro da cabeça do teu senhor — não te amarram ao pelourinho para te chibatarem?

PASTOR: Nem sei o que é um pelourinho!... Nunca vi nenhum no meu reino. E chibata, nem para os animais! Nem mesmo quando eles são teimosos e casmurros!

BOBO: São felizes as pessoas no teu reino?

PASTOR: Para uns a vida é mais dura que para outros, mas não falta trabalho para quem não for madraço, e os velhos passam aos novos a sabedoria antiga das coisas.

BOBO: E tu, vives bem?

PASTOR: Quando chego a casa à noite, depois de recolhidas as ovelhas, a minha Briolanja tem sempre o caldo ao lume, e a cozinha cheira que é um regalo!

REI: Em toda a parte há medo, conspirações, intrigas...

BOBO: Haverá por lá lugar para mais dois?

PASTOR: Nunca de lá vi ninguém ser expulso...

BOBO: Está-me a cheirar a fartura de mais...

PASTOR: Nada melhor do que ires lá ver pelos teus próprios olhos.

REI: Em toda a parte há fome, traições, vinganças...

BOBO: É difícil encontrar o caminho para o teu reino?

PASTOR: Nada mais simples: sais desta gruta e tomas o caminho que leva à encruzilhada dos álamos. Viras-te para sul, e tomas a estrada que fica por detrás da fonte. Contas dez passos para poente e entras pelo caminho que ladeia o bosque. Ao passares pela última árvore do bosque avistas uma montanha. Atravessas a montanha — o meu reino é no vale. Como vês — não há nada que enganar.

BOBO: Estou a ver... estou a ver...

REI: Em toda a parte há grades, ciladas, injustiças...

PASTOR: Então?

BOBO (*indeciso*): Não sei. (*Para o rei*) Que dizes, senhor? Queres arriscar?

REI (*como se despertasse de um sono*): O quê? Que me queres? Onde é que elas estão?

BOBO: Ai, senhor, senhor, a confusão que vai nessa cabeça...

REI: Que dizias tu?

BOBO: Nada, senhor. Dizia que a tempestade amainou, e que vai sendo tempo de nos pormos a caminho. (*Para o pastor*) Ora repete lá, mas devagarinho, que eu não tenho a cabeça da tua Briolanja...

PASTOR (*devagar*): Tomas o caminho que leva à encruzilhada dos álamos.

BOBO (*repetindo, para fixar*): ... encruzilhada dos álamos.

PASTOR: ... viras-te para sul.

BOBO: ... para sul...

PASTOR: ... e tomas a estrada... (*a luz vai diminuindo à medida que ele explica, e incide depois sobre a cena seguinte, de novo no palácio de Violeta*)

Cena VII
PASTOR, VIOLETA, REGINALDO

PASTOR: É por isso que eu digo, senhora, que não tardam aí! Tão certo como eu me chamar Godofredo Segismundo!

VIOLETA (*olhando para Reginaldo*): Chegou a nossa hora. Ah, o que eu esperei por este dia!

PRÍNCIPE REGINALDO: Violeta, pensai melhor! Tudo se passou há tantos anos! Éreis então uma jovenzinha, magoada pela ingratidão de vosso pai. Hoje sois a senhora deste reino, sois mãe de filhos... Desisti da vossa ideia!

VIOLETA: Senhor, tenho sido sempre uma esposa leal e obediente. Mas agora não irei aceder ao vosso pedido. Tudo se fará como estava previsto. Durante muitos anos pensámos no que iríamos fazer se meu pai um dia nos batesse à porta. Tudo combinámos. Esse dia chegou, e será feito o que então prometemos fazer.

REGINALDO: Faça-se a tua vontade.

VIOLETA: Vou imediatamente dar as minhas ordens na cozinha. E tu... (*Vira-se para o pastor*)

PASTOR: Godofredo Segismundo, às vossas ordens.

VIOLETA: Tu, Godofredo Segismundo, vai avisar toda a gente que esta noite as portas do palácio estão abertas, e haverá comida para todos. E depois fica de vigia à entrada do reino, e assim que o rei aparecer traz-mo logo à minha presença. Mas atenção...

PASTOR: Já sei, já sei (*imita-lhe a voz*) ... «sem lhe revelar a vossa identidade».

Cena VIII
BOBO, REI LEANDRO

(*Às portas do reino*)

BOBO (*estafado*): Dez passos para poente... última árvore do bosque... montanha... o vale... Chegámos! Chegámos!

REI: Não entendo a tua alegria... Estamos sempre a chegar e sempre a partir. Desta vez chegámos onde?

BOBO: Ao reino do pastor que encontrámos na gruta. Não te lembras, senhor, como ele disse que a vida era boa, farta, tranquila?

REI: Em toda a parte há medo, miséria, tristeza...

BOBO: Ai, meu senhor, por amor de Deus não comeces outra vez com essa lengalenga! Desde aquela noite na gruta que não te oiço outra coisa! Não me digas que também foi algum segredo dos deuses... Desculparás que te diga, mas os segredos dos deuses só te têm trazido aborrecimentos. Melhor seria que eles não se tivessem lembrado de ti. De resto, sempre ouvi dizer que isso de ter segredinhos com uma pessoa era coisa muito feia!

REI: Tanto falas e tão pouco dizes, meu pobre tonto...

BOBO (*batendo às portas do reino*): Posso ser tonto mas consegui trazer-te a bom porto! Isto por aqui parece-me terra de jeito.

REI: Tivesse eu os meus olhos, e saberia o que me espera para lá destes muros. Os meus olhos nunca me enganaram. Bastava pousá-los sobre uma pessoa, para logo saber se ela era leal ou traiçoeira, se as suas palavras eram verdadeiras ou escondiam os ecos da intriga.

BOBO: Bom... Alturas houve em que os teus olhos bem te enganaram, senhor, mas não vamos falar de coisas tristes e já passadas. Agora só quero encontrar guarida e dormir horas, horas e horas! Ah, que saudades eu tenho de uma cama verdadeira. Ainda te lembras como era uma cama a sério?

REI (*recordando*): Era macia...

BOBO: O corpo afundava-se nela...

REI: ... tinha o cheiro do feno...

BOBO: ... do linho...

REI (*cheirando o ar*): Não sentes por aqui um cheiro familiar?

BOBO: Sei apenas que cheira bem. Ah, que bem que cheira!

REI: Conheço este cheiro... Dantes, quando a minha cabeça sustentava uma coroa, era assim que no meu reino cheiravam as noites de lua cheia...

BOBO: É a primeira vez que oiço dizer que a Lua tem cheiro...

REI: Idiota! Não percebes nada de nada!... Claro que a Lua tem cheiro... E as estrelas têm cheiro... E música... Tanta música...

(*Abrem-se de repente as portas da cidade*)

Cena IX
OS MESMOS MAIS O PASTOR

PASTOR: Eu não disse? Eu não disse que não havia nada que enganar? Foi só seguir as minhas instruções, e vieram cá dar num instante!

REI (*para o Bobo*): Quem é ele?

BOBO: Ora, senhor, já não te lembras desta voz? É o pastor!

REI: Qual pastor?

BOBO: O da gruta!

REI: Qual gruta?

BOBO: Onde passámos a noite!

REI: Que noite?

(*Bobo arrepela os cabelos*)

PASTOR: Estais cansado, senhor, é natural. Da gruta...

REI: ... que gruta?

PASTOR: ... até aqui, ainda é um bom esticão! Vinde comigo que está tudo pronto para vos receber.

BOBO: Isto é que é um reino, palavra de honra! (*Aponta para si e para o rei*) Até para dois pobres de Cristo como nós têm receção apurada! Hás de convir, senhor, que coisa assim nem no tempo em que tu eras rei de...

REI (*zangado*): EU SOU REI DE HELÍRIA!

BOBO: Pronto, pronto, não estragues tudo quando tudo está tão bem encaminhado! (*Olha em volta*) Mas que correrias por aqui vão! Ah!, senhor, até parece que estou a ver o último banquete que deste, aquele em que as tuas filhas... (*Para*)

REI: Deves estar confundido, meu pobre tonto. Eu nunca tive filhas. Por isso estou aqui contigo: porque não tive ninguém que me sucedesse no reino, e já estava velho de mais para o governar. Os deuses quiseram assim, e...

BOBO: Os deuses não tiveram nada a ver com isso, senhor! Foram as tuas filhas...

REI (*como se não o ouvisse, e continuando o que estava a dizer*) ... e contra a vontade dos deuses, nada podemos fazer.

BOBO: As tuas filhas, senhor! Essas desalmadas é que...

REI (*na mesma*): Que pena eu nunca ter tido filhas. Tenho a certeza de que teria sido um bom pai para elas... (*Volta a cheirar o ar*) Hummmm... Que bem que cheira!
Já me tinha esquecido de como o ar de repente se pode encher de aromas que nos lembram o verão, as cigarras, o pão quente sobre a mesa, o vento a fazer dançar o centeio... Hummmmm... Cheira a...

(*Entram Reginaldo e Violeta*)

96

Cena X
OS MESMOS MAIS REGINALDO
E VIOLETA

PRÍNCIPE REGINALDO: Cheira a violetas, meu senhor, que é a flor que enche os jardins do meu reino!

REI (*estremece*): Esta voz... Quem me fala? Quem está junto de mim? Bobo, bobo, quem foi que falou?

BOBO (*olhando para Reginaldo, também intrigado*): Onde é que eu já vi esta cara?

PRÍNCIPE REGINALDO: Sou o rei deste reino que agora vos acolhe.

REI (*desconfiado*): Como soubeste que eu vinha?

REGINALDO: Um pastor dos nossos rebanhos encontrou--vos numa gruta, e prometeu-vos guarida.

REI: E pode um pastor falar assim em nome do seu senhor?

PRÍNCIPE REGINALDO: No meu reino nunca se recusou entrada a quem estivesse necessitado de descanso.

VIOLETA: E vós bem precisado estais de descansar...

REI: Esta voz... esta voz...

BOBO: Esta voz... Estes olhos... Esta maneira de andar... Mas onde é que já a vi?

VIOLETA: Irei mandar que vos deem um novo manto, que esse que trazeis tem mais rasgões do que tecido. (*Sai*)

REI: Não quero outro manto. O manto que um dia tive, entreguei-o a quem não o mereceu. Este manto me tem servido desde então, já não saberia viver com outro.

PRÍNCIPE REGINALDO: Mas dizei-me, senhor: quem sois, e por que andais por estes sítios? No meu reino não há dragões para matar, não há maldições de bruxas para quebrar, e os ogres e lobisomens há muito que daqui fugiram. Não é lugar que dê glória a ninguém, como podeis verificar.

REI: Já não tenho idade para essas glórias... Quanto ao meu nome, sou Leandro, rei de...

BOBO (*aparte*): Pronto, lá lhe voltaram as manias de grandeza... (*Baixinho para o rei*): Senhor, onde é que isso já vai! *Foste* rei, foste, mas há tanto tempo que eu nem sei, ao certo, se isso aconteceu de verdade, ou se fui eu que sonhei e me convenci de que tinha vivido o que era só fantasia da minha cabeça de pouco tino.

REI: EU SOU REI DE HELÍRIA !

PRÍNCIPE REGINALDO: Mas, senhor, perdoai que vos diga, a Helíria já não existe.

REI: A HELÍRIA HÁ DE EXISTIR SEMPRE !

PRÍNCIPE REGINALDO: Pois a mim disseram-me que tinha sido dividida em dois reinos, e que o rei com eles presenteara as suas duas filhas mais velhas.

REI (*baixinho*): Eu não tenho filhas, eu não tenho filhas...

PRÍNCIPE REGINALDO: E mais me disseram: que elas em breve se desentenderam, expulsaram o pai das suas fronteiras, e passam agora o tempo a guerrearem-se uma à outra.

BOBO (*para o pastor*): Ouve lá, quem te mandou dar com a língua nos dentes? Contei-te a história do velho, mas não tinhas nada que vir logo metê-la nos ouvidos do teu patrão!

PASTOR: Juro que não lhe contei nada!

BOBO: Então como sabe ele tudo o que se passou?

PASTOR: As notícias correm...

BOBO: Trazidas por quem? Será que o vento tem boca? Será que as aves falam?

PASTOR: Dessas coisas não entendo. Dessas coisas quem entende...

BOBO: É a tua Briolanja, já sei... Não terá sido ela, por acaso, a contar a minha história ao teu rei? Quer dizer: tu chegaste e foste logo a correr enfiar-lhe tudo no bucho, e vai ela depois contou tudo ao rei.

PASTOR: É... Mesmo a minha Briolanja não tem mais nada que fazer senão andar aos segredinhos no palácio real... Vamos mas é embora que o banquete está a começar e, se nos atrasamos, quando lá chegarmos só restam ossos nas travessas!...

BOBO: Banquete? Isto mete banquete?

PASTOR: Eu disse-te que aqui toda a gente era bem recebida!

Cena XI
REGINALDO, VIOLETA, LEANDRO, PASTOR, BOBO, CRIADOS

(*O banquete vai começar*)

VIOLETA (*para o rei*): Para vós, senhor, escolhemos as melhores iguarias deste reino.

PASTOR (*para o Bobo*): Verdade! Até a minha Briolanja veio dar uma ajuda na cozinha! Que não é para me gabar, mas ela faz um javali assado com molho de mandrágoras que é um mimo (*beija as pontas dos dedos*)

VIOLETA: Espero que esteja tudo a vosso contento.

(*Criado põe nas mãos do rei o primeiro prato: o rei prova e delicadamente põe de lado*)

VIOLETA: Talvez o javali não seja o vosso prato predileto. Que tal um assado de borrego? (*Faz sinal a outro criado que avance. O criado entrega o segundo prato. O rei prova e, enjoado, põe de lado*)

VIOLETA: Experimentemos o peixe. Uma truta fresquinha, pescada há pouco nas águas do nosso rio.

(*Outro criado avança com o terceiro prato. O rei prova, faz uma careta e põe de lado. A partir daqui sucedem-se, em ritmo muito rápido, as várias entregas dos pratos pelos criados, e a rejeição do rei, num crescendo de desagrado até acabar por dar um safanão nos criados, deitar ao chão as travessas, etc., etc. ...*)

REI (*explode*): Basta! Não sei que reino é este, não sei que hospitalidade é esta que me põe na boca comida intragável!

VIOLETA (*espantada*): Intragável, senhor?

REI: Intragável! (*Cospe várias vezes*) Podre!

VIOLETA: Impossível, senhor! A truta foi pescada há pouco e...

PASTOR: ... e pelo javali da minha Briolanja ponho eu as mãos no fogo!

REI: Será alguma conspiração para me envenenar?

VIOLETA: Acalmai-vos, senhor, aqui ninguém vos quer matar!

REI: Mas então que comida é esta que me servistes nestes pratos todos que cada um parecia pior que o anterior?

VIOLETA (*pausadamente*): É apenas comida sem sal, senhor.

REI (*espantado*): Comida sem... (*Para de repente, e ouvem-se muito ao longe vozes antigas*)

VOZ: «Quero-vos como a comida quer ao sal...»

VOZ: «Fora do meu reino, filha maldita!...»

REI (*cada vez mais espantado*): Senhora... como é o vosso nome? E que reino é este em que me encontro? Falai, por quem sois!

VIOLETA (*sem lhe responder*): Aqui tendes, senhor, o que valem os melhores manjares do mundo quando lhes falta uma pedrinha, uma pedrinha pequenina que seja, desse bem precioso chamado sal.

PASTOR: Grande vai o mal na casa onde não há sal — lá diz a minha Briolanja...

REI: Senhora...

BOBO (*gritando, de repente, depois de olhar muito para Violeta*): É ela! É ela! Eu bem sabia que já tinha visto aquela cara! É ela! É Violeta.

REI: Cala-te, cala-te!

BOBO: Não me calo! Já me calei tempo de mais! Durante estes anos todos vi-te fazer asneiras atrás de asneiras sem nada te dizer. Acompanhei-te sempre, sem nada te dizer. Mas agora não me calo! Agora sou eu que te ordeno: reconhece o mal que um dia fizeste a tua filha Violeta!

REI: Cala-te, cala-te!

BOBO: Isso é que era bom! Não me calo, não me calo, e não me calo!

REI: Olha a chibata!

BOBO (*rindo*): Aqui não há chibata!

PASTOR: Nem para os animais!

BOBO: Vá, pede perdão a tua filha Violeta, a única que verdadeiramente te amou, e ficamos por aqui, que já não aguento mais!

REI: A minha cabeça... A minha cabeça estala...

PASTOR: Agora é que ele fica maluco de vez...

BOBO: Não ligues, que aquilo também é fita...

REI: Sou um pobre cego, senhora! Mas se os olhos não veem, vê o coração.

BOBO (*aparte*): Por acaso houve alturas em que o coração esteve... um bocado vesgo.

VIOLETA: E que vê o vosso coração?

REI: Vê o rosto claro de uma filha que tive um dia e perdi.

VIOLETA: Vê mal o vosso coração. Porque nunca perdestes uma filha, senhor.

REI: É verdade. Não a perdi. Expulsei-a. Fui eu que a expulsei...

VIOLETA: Apenas porque essa filha, senhor, foi a única sincera de todas as filhas que tínheis. Apenas porque ela vos disse as palavras verdadeiras, e às vezes os reis só têm ouvidos para as palavras da lisonja e da mentira.

REI: Dizei-me, senhora, dizei-me se sois quem o meu coração diz.

VIOLETA: O que diz o vosso coração, não sei. Mas o meu diz-me que sois Leandro, rei do reino que um dia se chamou Heliria e que eu sou Violeta, vossa filha mais nova.

(*Abraçam-se*)

REI: Como fui louco! E tanto que eu vos amava!

VIOLETA: Estranho amor o vosso, meu pai, que terminou quando eu não fui o que esperáveis que eu fosse. Quem ama, senhor, não deve pedir nada em troca desse amor.

REI: Não entendi o que então me dissestes. Julguei que me desprezáveis, deixei-me deslumbrar por palavras ocas...

PASTOR: A palavras ocas, orelhas moucas, lá diz a minha Briolanja...

REI: O sal... Parecia-me uma comparação tão insignificante...

VIOLETA: Vistes agora, senhor, a falta que ele faz?

REGINALDO: Vistes agora, senhor, como às vezes aquilo que nos parece insignificante é afinal o mais importante nas nossas vidas?

REI: Poderás perdoar-me, minha filha? Agora sou eu que te digo: quero-te mais que à luz dos meus olhos. Aprendi a passar sem ela, mas nunca aprendi a passar sem a tua lembrança. No mais fundo de mim, o teu rosto estava sempre gravado: a tua pele branca como marfim, o teu sorriso com a doçura do mel. Não preciso de olhos para te ver.

BOBO: Mas precisas de juízo para não voltares a fazer asneiras! E olha que essa foi da grossa! Não tivéssemos nós encontrado aqui o nosso amigo...

PASTOR (*vaidoso*): Godofredo Segismundo, para vos servir!

BOBO: ... o nosso amigo Godofredo Segismundo, naquela noite de tempestade, e ainda agora andávamos por esses caminhos... (*Suspende-se a ação e o bobo volta a falar apenas para a plateia*) E ainda bem que esta história foi inventada há muitos, muitos, muitos, mas muitos anos, porque se tivesse sido agora, com as pessoas todas a dizerem na televisão, na rádio, nos jornais, em tudo quanto é sítio, que o sal faz tão mal, tínhamos ainda que inventar outro final, e nunca mais a gente saía daqui! Mas em tempos muito, muito, mas mesmo muito antigos, o sal era tão importante, mas tão importante, que às vezes até servia para pagar o ordenado das pessoas no fim do mês! Nunca ouviram falar em salário? Pois é... Vem de sal... Bom, mas falem com os professores, que eles é que sabem explicar essas coisas... (*Ri*) Eles — e, se calhar, ali a Briolanja do Godofredo que, pelos vistos, sabe tudo! Adeuzinho, que sou preciso para o fim da peça!

(*Ação é retomada onde estava*)

VIOLETA: Vinde, meu pai, vou guiar-vos pelo meu reino que, a partir de agora, também será o vosso. Esqueceremos tudo o que ficou para trás. Como se tivesse sido um pesadelo.

REI: É isso... Foi um pesadelo.

REGINALDO: Mas agora acordámos. Agora vai tudo ser diferente.

REI: Como te poderei recompensar pelo mal que um dia te fiz, minha filha?

VIOLETA: Amo-vos, senhor. Não quero recompensas. Quero apenas poder contar com a vossa experiência sempre que precisar dela, com os vossos conselhos, e com o vosso amor.

REI: Tudo terás de mim, Violeta. (*Hesitante*) Poderei eu agora fazer-te um pedido?

VIOLETA: Os vossos pedidos são ordens, senhor!

REGINALDO: Que quereis?

REI (*ainda um pouco hesitante*): Eu queria... eu queria...

REGINALDO: Dizei, senhor!

REI: Queria uma costeletazita de javali... com uma pitadinha de sal, se possível!

PASTOR (*corre para a cozinha*): Agora é que a minha Briolanja se vai esmerar!

BOBO: Vitória, vitória, acabou-se a história!

Cena XI
Final
HORTÊNSIA, AMARÍLIS, FELIZARDO, SIMPLÍCIO, BOBO, LEANDRO, REGINALDO, VIOLETA, PASTOR

HORTÊNSIA E AMARÍLIS: *Nós somos as más da fita*
pusemos o pai na rua
contado nem se acredita
e é a verdade nua e crua!

PRÍNCIPE FELIZARDO: *Deixa cá ver, Felizardo*
que é que eu tenho pra dizer
(tira o rolo de papel do bolso)
«tudo o que eu fiz foi a mando
da minha querida mulher»

PASTOR: *A filha o pai hoje recebe,*
com a minha ajuda foi canja!
mas de sal quem mais percebe
é a minha Briolanja!

BOBO: *Eu com pouco me contento,*
deem-me água, uma batata...
O meu único tormento
é o pelourinho e a chibata

VIOLETA E REGINALDO: *O amor, se é interesseiro,*
fica só à flor da pele,
e quando o interesse acaba
acaba-se o amor com ele

REI: *Por gratidão ninguém ama,*
esta é a lição que me toca
o amor só o amor chama
não exige nada em troca

(*A correr vem dos bastidores o Príncipe Simplício, como se chegasse atrasado*)

PRÍNCIPE SIMPLÍCIO: Tiraram-me as palavras da boca!